Mici'r Mwncïn

Mynd i'r Ysgol

Lydia Monks
Addasiad gan Elin Meek

DREF WEN

Dad

Mam

Mimi

Dyma Mici'r Mwnci.

Mae Mam yn mynd ag e i'r ysgol.

Ar y ffordd, maen nhw'n casglu ffrindiau Mici.
Ydy pawb yn barod?

Mae Miss Raff, athrawes Mici,
yn aros y tu allan i'r ysgol.

Mae hi'n dweud wrth y
dosbarth eu bod nhw'n mynd
i ddysgu am …

Mae pawb eisiau dod o hyd
i drychfilyn.

Weli di drychfilod?

Mae'r dosbarth wrthi'n peintio lluniau o'u trychfilod.

Wnei di helpu Mici i
ddod o hyd i'w gorryn?

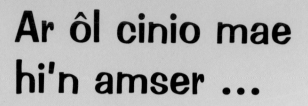

Ar ôl cinio mae
hi'n amser ...

chwarae!

Mae digon o amser i glywed hoff stori Mici
cyn i bawb droi am adref.

Hwyl fawr, Mici.

Welwn ni di cyn hir!

I Caitlin
L.M.

DREF WEN

Cyhoeddwyd yn 2014 gan Wasg y Dref Wen,
28 Ffordd yr Eglwys, Yr Eglwys Newydd,
Caerdydd CF14 2EA, ffôn 029 20617860.
Cyhoeddwyd y fersiwn yma gyntaf yn y Deyrnas Unedig yn 2014
gan Egmont UK Limited,
The Yellow Building, 1 Nicholas Road, Llundain W11 4AN dan y teitl *Mungo Monkey Goes to School*
Testun a Lluniau © Lydia Monks 2014
Mae Lydia Monks wedi datgan ei hawliau moesol.
Y fersiwn Cymraeg © 2014 Dref Wen Cyf.
Cyhoeddwyd gyda chymorth ariannol Cyngor Llyfrau Cymru.
Argraffwyd yn China